D1254037

Le Prophète

Khalil Gibran

Le Prophète

Traduit par Jean-Pierre Dahdah

Librio
Texte intégral

Titre original :
The Prophet
Alfred A. Knopf Publisher, New York, 1923

Al-Moustapha, l'élu et le bien-aimé, cette aube qui commençait à poindre à la rencontre de son propre jour, avait attendu, douze années durant dans la cité d'Orphalèse, le retour de son vaisseau, lequel devait le porter à nouveau vers son île natale.

Lors de la douzième année, au septième jour de Ayloul, le mois des moissons, il gravit la colline hors des murailles de la cité.

Scrutant l'horizon, il aperçut son vaisseau voguer avec la brume sur les eaux.

Les écluses de son cœur furent grandes ouvertes, et sa joie s'envola par-delà les flots. Puis, les yeux clos, il se recueillit dans les silences de son âme.

Comme il descendait la colline, la tristesse le gagnait. Il pensa alors en son cœur :

« Comment pourrais-je partir en paix sans être tourmenté ?

Non, ce n'est point sans blessure à l'âme que je ferai mes adieux à cette cité.

Longs furent les jours de souffrance et longues les nuits de solitude que j'ai passés au sein de ces murailles.

Et qui pourrait se départir de sa souffrance et de sa solitude sans nul repentir ?

J'ai semé çà et là mille et un fragments de l'esprit par-dessus chacune de ces rues,

Et les langueurs de mon cœur ont essaimé une myriade d'enfants qui marchent nus dans ces collines.

Je ne saurais m'en retirer sans que m'en pèse la douleur.

Ce n'est pas un vêtement que j'ôte en ce jour, mais une peau que j'arrache de mes propres mains.

Ce ne sont pas non plus des souvenirs que je laisse derrière moi, mais un cœur attendri par la soif et par la faim.

Je ne puis m'attarder davantage.

La mer, qui appelle toutes choses vers elle, me réclame, et force m'est de prendre le large.

Car rester, bien que dans la nuit les heures brûlent, c'est se laisser transir, se cristalliser et finir figé dans un moule.

De grand cœur emporterais-je avec moi tout ce que je laisse ici. Mais comment le pourrais-je ?

Nulle voix ne peut emporter dans son envol la langue et les lèvres qui lui ont donné des ailes.

Seule doit-elle sonder les échelles de l'éther.

Et seul et démuni de son nid, l'aigle croise dans son envol le soleil. »

Arrivé au pied de la colline, il se retourna vers la mer. C'est alors qu'il vit son vaisseau s'approcher du havre.

À sa proue, il aperçut les marins, hommes de son pays.

Et du tréfonds de son âme il s'écria :

« Fils de mon antique mère, vous qui chevauchez les marées, que de fois avez-vous vogué dans mes rêves !

Vous voilà à présent jetant l'ancre dans mon réveil qui est le plus profond de tous mes rêves.

Me voici prêt à partir ; toutes voiles dehors, mon désir ardent n'attend que le vent.

De cet air le plus quiet rien qu'une ultime fois je ne priserai.

Et en arrière, plus qu'un tendre regard je ne sèmerai.

Puis parmi vous je me tiendrai, tel un marin parmi les marins.

Et toi, mer immense, mère toujours en éveil,

Toi seule qui accordes paix et liberté à toute onde,

Plus qu'un dernier méandre à ma rivière, un ultime murmure dans cette clairière,

Et je viendrai vers toi, telle une infime goutte éperdue rejoignant un océan aux horizons perdus. »

Comme il marchait, il vit au loin hommes et femmes abandonner leurs vignes et leurs champs et accourir vers les portes de la cité.

Et il les entendit crier, laissant propager son nom à tous les échos et se héler d'un champ à l'autre, annonçant la venue de son vaisseau.

Puis il s'enquit :

« Faut-il que le jour de notre éloignement soit celui de notre rassemblement ?

Et faut-il dire que mon crépuscule était en vérité mon aurore ?

Que pourrai-je léguer à ceux qui ont abandonné leur charrue à mi-sillon ou à ceux qui ont arrêté la roue de leur pressoir ?

Mon cœur deviendra-t-il cet arbre gorgé de fruits afin de pouvoir les cueillir et leur en offrir ?

Et mes désirs sauront-ils sourdre telle une source pour emplir leur coupe ?

Suis-je une harpe afin que la main du Tout-Puissant puisse m'effleurer ?

Ou suis-je une flûte afin que Son souffle puisse me traverser ?

Chercheur de silences, voilà ce que je suis.

Mais quel trésor ai-je découvert en ces silences à dessein de le dispenser avec confiance ?

Si ce jour est mon jour de récolte, dans quels champs ai-je semé la graine et en quelles saisons dont le souvenir s'est évanoui ?

Et si en vérité l'heure de lever ma lanterne doit sonner, ce ne sera pas ma flamme qui y brûlera.

Vide et obscure élèverai-je ma lanterne ;

Et le gardien de la nuit viendra l'emplir d'huile et allumer sa mèche. »

Voilà ce qu'il exprima en paroles.

Or, il n'épancha point tout son cœur, car il ne pouvait lui-même révéler son secret le plus profond.

Et lorsqu'il entra dans la cité, le peuple vint à sa rencontre en l'acclamant à l'unisson.

Et les anciens de la cité s'avancèrent et dirent :

« Ne nous quitte pas si tôt.

Tu as été le soleil au zénith dans notre crépuscule et ta Jouvence nous a abreuvés de rêves à rêver.

Tu n'es, parmi nous, ni un étranger ni même un invité, mais notre fils et notre tendre bien-aimé.

Ne souffre pas que nos yeux soient d'ores et déjà assoiffés de ton visage. »

Et les prêtres et les prêtresses de l'implorer :

« Ne laisse pas les flots de la mer nous séparer, ni les années que nous avons ensemble égrainées se réduire à un souvenir.

Tu marchais parmi nous tel un esprit et ton ombre illuminait nos visages.

Nous t'avons tant aimé. Cependant notre amour était dénué de paroles et enveloppé de voiles.

Mais à présent notre amour te réclame à cor et à cri et désire se tenir révélé devant toi.

Hélas ! Il en a toujours été ainsi :

L'amour ne découvre ses profondeurs qu'à l'heure des adieux. »

Et d'autres vinrent aussi et le supplièrent, mais il ne leur dit mot.

Il courba simplement la tête, et les plus proches de lui virent ses larmes tomber sur sa poitrine.

Puis il se rendit avec le peuple sur le parvis du temple.

Du sanctuaire sortit alors une femme, Al-Mitra. C'était une devineresse.

Il posa sur elle un regard d'une infinie tendresse ; car, dès qu'il arriva dans leur cité, elle fut la première à le deviner et à croire en lui.

Elle le salua, disant :

« Prophète de Dieu, en quête de l'absolu, longtemps tu as scruté les horizons dans l'attente de ton vaisseau. Et maintenant qu'il est là, il te faut partir.

Profonde est ta soif de retrouver la terre de tes souvenirs et d'aspirer à la demeure de tes infinis désirs.

Et si grand que soit notre amour, il ne saurait te retarder ni nos désirs te retenir.

Pourtant, avant de nous quitter, nous te demandons de parler et de nous livrer un peu de ta vérité,

Afin que nous puissions la transmettre à nos enfants et ceux-ci aux leurs. Ainsi cette vérité ne périra jamais.

Dans ta solitude, tu accompagnais chacun de nos regards le long de nos jours,

Et dans tes veilles, tu écoutais nos rires et nos pleurs au cœur de notre sommeil.

À présent révèle-nous à nous-mêmes et parle-nous de ce qui t'a été dévoilé, de tout ce qui mène du berceau au linceul. »

Et il répondit :

« Peuple d'Orphalèse, de quoi puis-je parler, si ce n'est de ce qui se meut encore et toujours dans vos âmes ? »

Et Al-Mitra dit : « Parle-nous de l'Amour. »

Il leva la tête, posa le regard sur le peuple et le silence régna. Puis d'une voix forte il dit :

« Lorsque l'amour vous fait signe, suivez-le,

Bien que ses chemins soient escarpés et sinueux.

Et quand ses ailes vous étreignent, épanchez-vous en lui,

En dépit de l'épée cachée dans son plumage qui pourrait vous blesser.

Et dès lors qu'il vous adresse la parole, croyez en lui,

Même si sa voix fracasse vos rêves, comme le vent du nord saccage les jardins.

Car comme l'amour vous coiffe d'une couronne, il peut aussi vous clouer sur une croix.

Et de même qu'il vous invite à croître, il vous incite à vous ébrancher.

Autant il s'élève au plus haut de vous-même et caresse les plus tendres de vos branches qui frémissent dans le soleil,

Autant cherche-t-il à s'enfoncer au plus profond de vos racines et à les ébranler dans leurs attaches à la terre.

Pareilles à des brassées de blé, il vous ramasse et vous enlace.

Il vous bat au fléau pour vous mettre à nu.

Il vous passe au tamis pour vous libérer de votre bale.

Il vous moud jusqu'à la blancheur.

Et il vous pétrit au point de vous assouplir.

Puis il vous livre à son feu vénéré, afin que vous deveniez pain sacré pour le saint festin de Dieu.

Voilà tout ce que l'amour fera en vous afin que vous puissiez déceler les secrets de votre cœur et devenir ainsi un fragment du cœur de la Vie.

Mais si dans votre crainte vous ne recherchiez que la paix et le plaisir de l'amour,

Alors il serait préférable pour vous de couvrir votre nudité, de quitter l'aire de battage de l'amour,

Et de vous retirer vers un monde sans saisons,

Où vous pourrez rire sans laisser jaillir tous les éclats de votre rire,

Où vous pourrez pleurer sans jamais libérer toute l'amertume de vos larmes.

L'amour ne donne rien que lui-même et ne prend rien que de lui-même.

Il ne peut posséder et ne peut être possédé.

Car l'amour suffit à l'amour.

Lorsque vous aimez, ne dites pas :

« Dieu est en mon cœur. »

Dites plutôt :

« Je suis dans le cœur de Dieu. »

Et ne croyez pas que vous puissiez diriger le cours de l'amour.

Car si l'amour vous trouve digne, lui-même guidera votre cœur.

L'amour n'a point d'autre désir que de s'accomplir.

Mais si vous aimez et devez éprouver des désirs, que ceux-ci soient les vôtres :

Fondre en un ruisseau qui chante sa mélodie à la nuit.

Connaître la douleur d'un flot de tendresse.

Être blessé par votre propre perception de l'amour ;

Et laisser couler votre sang volontairement et joyeusement.

Vous réveiller à l'aube avec un cœur ailé et rendre grâce à Dieu pour cette nouvelle journée d'amour.

Vous reposer à midi et méditer sur l'extase de l'amour.

Regagner votre foyer au crépuscule en remerciant le ciel.

Puis vous endormir avec une prière pour l'être aimé en votre cœur et un chant de louanges sur vos lèvres. »

Puis Al-Mitra reprit la parole et demanda : « Qu'en est-il du Mariage, maître ? »
Et il répondit :

« Ensemble vous êtes nés et ensemble vous vivrez à jamais.

Et ensemble vous resterez, lorsque les ailes blanches de la mort sèmeront vos jours à la volée.

Et toujours ensemble vous demeurerez, même dans la mémoire silencieuse de Dieu.

Mais sur votre chemin commun, créez des espaces et laissez-y danser les vents du firmament.

Aimez-vous l'un l'autre, mais ne faites pas de l'amour une alliance qui vous enchaîne l'un à l'autre.

Que l'amour soit plutôt une mer qui se laisse bercer entre vos âmes, de rivages en rivages.

Emplissez chacun la coupe de l'autre, mais ne buvez pas à une seule et même coupe.

Partagez votre pain, mais du même morceau ne mangez point.

Dans la joie chantez et dansez ensemble, mais que chacun de vous soit seul,

Comme chacune des cordes du luth est seule alors qu'elles frémissent toutes sur la même mélodie.

Offrez l'un à l'autre votre cœur, mais sans en devenir le possesseur.

Car seule la main de la Vie peut contenir vos cœurs.

Et dressez-vous côte à côte mais pas trop près.

Car les piliers qui soutiennent le temple se dressent séparés,

Et le chêne ne s'élève point dans l'ombre du cyprès. »

Alors une femme qui tenait un nouveau-né contre son sein dit : « Parle-nous des Enfants. »

Et il répondit :

« Vos enfants ne sont pas vos enfants.

Ils sont les fils et les filles de la Vie qui a soif de vivre encore et encore.

Ils voient le jour à travers vous mais non pas à partir de vous.

Et bien qu'ils soient avec vous, ils ne sont pas à vous.

Vous pouvez leur donner votre amour mais non point vos pensées.

Car ils ont leurs propres pensées.

Vous pouvez accueillir leurs corps mais non leurs âmes.

Car leurs âmes habitent la demeure de demain que vous ne pouvez visiter même dans vos rêves.

Vous pouvez vous évertuer à leur ressembler, mais ne tentez pas de les rendre semblables à vous.

Car la vie ne va pas en arrière ni ne s'attarde avec hier.

Vous êtes les arcs par lesquels sont projetés vos enfants comme des flèches vivantes.

L'Archer prend pour ligne de mire le chemin de l'infini et vous tend de toute Sa puissance pour que Ses flèches s'élancent avec vélocité et à perte de vue.

Et lorsque Sa main vous ploie, que ce soit alors pour la plus grande joie.

Car de même qu'Il aime la flèche qui fend l'air, Il aime l'arc qui ne tremble pas. »

E t un homme riche dit : « Parle-nous du Don. »
Il répondit alors :

« Toujours maigre restera le don de la main.

Le don du cœur est le véritable bien.

Que sont vos biens, sinon des choses que vous gardez et défendez, par crainte du besoin du lendemain ?

Et demain, qu'apportera demain au chien si prudent qu'en suivant les pèlerins vers la cité sacrée, il enterre des os sans repères dans le sable du désert ?

Qu'est-ce que craindre de connaître le besoin, sinon vivre dans le besoin ?

Et redouter de haleter de soif, alors que votre puits regorge à foison, n'est-ce pas jamais savoir boire jusqu'à plus soif ?

Certains d'entre vous donnent peu de leur abondance pour le plaisir d'en recevoir la reconnaissance.

Mais le fond de leur désir corrompt leur don.

Et d'autres ont peu, mais ils le donnent entièrement.

Ceux-ci croient en la vie et en la bonté de la vie ; leur fond n'est jamais vide.

Il en est qui donnent avec joie ou avec peine.

Cette joie est leur récompense et cette peine, leur baptême.

Il en est aussi qui donnent sans souffrir d'une peine ni quérir une joie, mais encore sans être conscients de cette vertu.

Ceux-là donnent à l'instar de ce myrte qui exhale sa fragrance là-bas, dans les airs de la vallée.

À travers le geste de leurs mains, Dieu nous parle et sourit à la terre du fond de leurs prunelles.

Il est bien de donner à qui quémande, mais il est mieux de donner sans qu'on vous le demande, par compréhension.

Et celui qui a le cœur sur la main en quête de celui qui est giflé par la main du destin,

Éprouve dans sa recherche une joie encore plus sublime que lorsqu'il fait don de ses biens.

Sauriez-vous réellement conserver à jamais ne fût-ce qu'un seul de vos biens ?

Tout ce que vous possédez, un jour ou l'autre, sera cédé.

Donnez donc maintenant afin que la moisson de votre don soit la vôtre, et non pas celle de vos héritiers.

Souvent vous dites : "Volontiers je donnerais, mais seulement à ceux qui en sont dignes."

Ce n'est point ce que disent les arbres de vos vergers ni les troupeaux de vos pâturages.

Car ils donnent afin de vivre ; retenir c'est périr.

Celui qui a été digne de recevoir le don de rester en vie, le long de ses jours et de ses nuits, est aussi digne de recevoir tout autre don émanant de vous.

Et celui qui a mérité de boire à l'océan de la vie mérite de remplir sa coupe à votre ruisseau.

Est-il un mérite encore plus grand que celui qui réside dans le courage et la confiance, dans la charité même, de recevoir ?

Au nom de qui pourriez-vous contraindre les gens à se déchirer la poitrine et à se dépouiller de leur dignité,

Afin de vous laisser voir la mise à nu de leurs valeurs et leur fierté sans pudeur ?

Veillez d'abord à mériter de donner et d'être l'instrument du don.

Car en vérité c'est la vie qui donne à la vie.

Et vous qui croyez être la source du don, vous n'en êtes que témoin.

Quant à vous qui recevez, et vous tous vous recevez, que la reconnaissance ne vous pèse guère.

Sinon vous risqueriez d'imposer un joug à vous-même et à vos bienfaiteurs.

Élevez-vous plutôt ensemble, comme si leurs dons étaient des ailes.

Être trop soucieux de vos dettes, c'est douter de leur générosité qui a la terre magnanime pour mère et Dieu pour père. »

Alors un vieil homme, tenancier d'une auberge, dit : « Parle-nous du Boire et du Manger. »

Et il répondit :

« Si seulement vous pouviez vivre des senteurs de la terre, et telle une plante vous sustenter de lumière !

Mais comme vous devez tuer pour manger et ravir au nouveau-né le lait de sa mère pour étancher votre soif,

Faites-en donc un acte de dévotion ;

Et que votre table soit un autel sur lequel le pur et l'innocent de la forêt et de la plaine sont sacrifiés pour ce qui est encore plus pur et plus innocent en l'homme.

Lorsque vous tuez une bête, dites-lui en votre cœur :

"Par la même puissance qui t'immole, je serai immolé. Et moi aussi je serai avalé.

Car la loi qui t'a livrée à moi me remettra entre des mains plus puissantes.

Ton sang et mon sang ne sont rien d'autre que la sève qui nourrit l'arbre céleste."

Et quand vous croquez une pomme, apaisez ses morsures par ces murmures de votre cœur :

"Ta chair vivra dans mon corps,

Et les bourgeons de tes lendemains fleuriront dans mon cœur.

Ton effluve sera mon souffle,

Et ensemble nous nous réjouirons dans la ronde des saisons."

À l'automne, lorsque vous cueillez le raisin de vos vignes pour le pressoir, dites dans votre cœur :

"Moi aussi, je suis une vigne et mon fruit sera cueilli pour le pressoir.

Et pareil au vin nouveau je serai gardé dans d'éternelles jarres."

Et en hiver, quand vous tirez le vin, que s'élève en votre cœur un chant pour chaque verre ;

Et que résonne dans chaque note une pensée pour les jours des vendanges, pour la vigne et le pressoir. »

Puis un laboureur dit : « Parle-nous du Travail. »
Et il répondit :

« Vous travaillez pour vous maintenir au diapason de la terre et de l'âme de la terre.

Car être oisif, c'est devenir étranger aux saisons et s'écarter de la procession de la vie qui, avec majesté et fière soumission, marche vers l'infini.

Lorsque vous travaillez, vous êtes une flûte,
Et à travers son cœur les soupirs de vos heures se métamorphosent en mélodie.
Qui parmi vous souhaiterait rester tel un roseau vierge de son,
Alors qu'autour de vous tout chante à l'unisson ?

Il vous a toujours été dit :
"Le travail est malédiction et le labeur, malheur."
Mais moi, je vous dis :
"Travailler c'est œuvrer à réaliser une parcelle du rêve qui vous fut attribuée quand naquit ce rêve, le plus ancien de la terre.
Et vivre en harmonie avec le travail, c'est en vérité aimer la vie.
Et aimer la vie à travers le travail, c'est être initié au secret le plus intime de la vie.
Mais si dans votre douleur vous appelez la naissance une affliction et le poids de la chair une malédiction inscrite sur votre front,
Alors sachez que ce qui y est inscrit ne sera lavé que par la seule sueur de votre front."

Il vous a été dit aussi :

"La vie n'est que ténèbres."

Et à chaque fois que vous soupirez de lassitude, vous le répétez tout bas, en vous faisant l'écho de ceux qui avant vous ont été las.

Or, moi je vous dis :

"La vie est ténèbres, si elle n'est pas animée par un élan.

Et tout élan est aveugle, s'il n'est pas guidé par le savoir.

Et tout savoir est vain, s'il n'est pas accompagné de labeur.

Et tout labeur est futile, s'il n'est pas accompli avec amour.

Et lorsque vous travaillez avec amour, vous resserrez vos liens avec vous-même, avec autrui et avec Dieu."

Et qu'est-ce que travailler avec amour ?

C'est tisser un vêtement avec des fils tirés de votre cœur, comme si votre bien-aimé devait le porter.

C'est bâtir une maison avec affection, comme si votre bien-aimée devait l'habiter.

C'est semer des graines avec tendresse et récolter la moisson avec joie, comme si vos enfants devaient en manger le fruit.

C'est insuffler en toutes choses que vous façonnez un zéphyr de votre esprit,

Et savoir que tous les morts bienheureux se tiennent auprès de vous et veillent sur votre travail.

Je vous ai souvent entendu répéter, comme si vous balbutiiez dans votre sommeil :

"Celui qui travaille le marbre et découvre la forme de son âme dans la pierre, est plus noble que celui qui travaille la terre.

Et celui qui saisit l'arc-en-ciel et parvient à le coucher sur sa toile sous forme de portrait d'homme, est plus honorable que celui qui fabrique des sandales pour nos pieds."

Et je vous réponds, non pas dans mon sommeil mais au zénith de mon éveil :

"La brise ne murmure pas au chêne géant des mots plus caressants que ceux qu'elle adresse au plus frêle des brins d'herbe.

Seul est grand celui qui transforme la voix de la brise en une mélodie rendue plus suave par son propre amour."

Le travail est l'amour rendu visible.

Et si vous ne pouvez travailler avec amour mais seulement avec répugnance,

Mieux vaut abandonner votre travail et vous asseoir à la porte du temple, demandant l'aumône à ceux qui œuvrent avec joie.

Et si vous cuisez le pain avec indifférence, votre pain sera amer et n'assouvira qu'à moitié la faim de l'homme.

Et si vous pressez les grappes de raisin à contrecœur, vous distillerez dans le vin le poison de votre rancœur.

Et même si vous chantez comme des anges sans être pour autant passionné de chant, vous rendrez l'homme sourd aux voix du jour et aux voix de la nuit. »

Alors une femme dit : « Parle-nous de la Joie et de la Tristesse. »

Et il répondit :

« Votre joie est votre tristesse sans masque.

Ce même puits d'où jaillit votre rire fut souvent rempli de vos larmes.

Et comment en serait-il autrement ?

Plus profondément la tristesse creusera dans votre être, plus abondamment vous pourrez le combler de joie.

La coupe fraîche qui contient votre vin n'est-elle pas celle-là même qui fut brûlante dans le four du potier ?

Et le luth qui apaise votre esprit, n'est-il pas ce même bois qui fut taillé à coups de couteau ?

Lorsque vous éprouvez de la joie, sondez votre cœur et vous trouverez que seul ce qui dans le passé vous a causé de la peine fait à présent votre bonheur.

Et dès lors que la tristesse vous envahit, sondez de nouveau votre cœur et vous verrez qu'en vérité vous pleurez sur ce qui autrefois vous a rendu heureux.

Certains d'entre vous disent que la joie est plus grande que la tristesse, et d'autres de soutenir le contraire.

Mais moi, je vous dis qu'elles ne sont point séparables.

Elles marchent la main dans la main ; et quand l'une vient s'attabler seule avec vous, n'oubliez pas que l'autre s'est assoupie sur votre lit.

En vérité, vous êtes comme les plateaux d'une balance, oscillant entre votre joie et votre tristesse.

Il faudrait que vous soyez vide pour rester immobile et en équilibre.

Et quand le gardien du trésor vous soulève pour peser son argent et son or, vous ne pouvez empêcher votre joie ou votre tristesse de faire pencher la balance. »

E t un maçon s'avança et dit : « Parle-nous des Maisons. »
Il répondit alors :

« Bâtissez de votre imagination un berceau de verdure dans les terres reculées,
Avant que vous ne bâtissiez vos quatre murs dans l'enceinte de la cité.
Car comme au crépuscule de votre vie vous souhaiteriez retrouver la demeure première,
Cet errant en vous, à jamais solitaire et lointain, brûle lui aussi de retourner à son aube.

Votre maison est votre plus grand corps.
Au soleil elle s'épanouit, et dans ses rêves elle s'évade la nuit.
Douteriez-vous que votre maison puisse en rêvant quitter la ville au clair de lune pour rejoindre bosquets et sommets ?
Ah, si je pouvais recueillir vos maisons dans ma main et, comme des poignées de semailles, les lancer sur les prés et les forêts !
Et si les vallées devenaient vos avenues et les sentiers vos rues,
Ainsi vous pourriez aller à la rencontre des uns et des autres à travers champs et vignes, puis revenir le soir avec les senteurs de la terre dans vos habits !
Hélas ! Cela n'est pas encore prêt à se réaliser.
Dans leur crainte, vos ancêtres vous ont rassemblés trop près les uns des autres.
Cette crainte ne se dissipera pas d'ici peu, et les murs de vos villes sépareront encore et encore vos cœurs de vos champs.

Dites-moi, peuple d'Orphalèse, qu'avez-vous dans vos foyers ?

Et que gardez-vous derrière vos portes verrouillées ?

Avez-vous la paix, cet élan serein qui révèle votre pouvoir ?

Avez-vous des souvenirs, ces lueurs en arcade qui coiffent les cimes de l'esprit ?

Avez-vous la beauté, ce chemin qui conduit votre cœur à travers les objets de bois et de pierre jusqu'à la montagne sacrée ?

Avez-vous réellement tout cela dans vos maisons ?

Ou plutôt n'avez-vous rien d'autre que le confort, cet amour du corps pour le confort qui rampe pour franchir votre porte et devient votre hôte, puis vous reçoit en maître ?

Et le voici dompteur qui, avec fourche et fouet, vous tire par les fils de vos amples désirs pour en faire des pantins.

Si sa main est de soie, son cœur est de pierre.

Il vous berce jusqu'au sommeil pour mieux railler la dignité de votre chair.

Et il se moque de vos cinq sens et, tels des vases fragiles, les dépose dans le duvet du chardon.

En vérité, l'amour du corps pour le confort assassine la passion de l'âme, puis marche en ricanant derrière son cortège funèbre.

Mais vous, enfants de l'espace, qui ne cessez d'agir même dans le repos de vos soupirs, vous ne serez point piégés ni domptés.

Votre maison ne sera pas une ancre mais un mât.

Elle ne sera pas un tissu moiré qui couvre une plaie, mais une paupière qui protège l'œil.

Vous ne replierez point vos ailes afin de franchir ses portes, ni ne courberez la tête pour éviter son plafond, et ni même ne retiendrez votre souffle de peur de voir ses murs se lézarder et s'écrouler.

Vous n'habiterez point des tombes creusées par les morts pour les vivants.

Et même si son intérieur est luxe et splendeur, votre maison ne saura garder votre secret ni recueillir vos désirs.

Car l'illimité en vous, hôte des éthers, habite le palais du ciel, dont la porte est la brume du matin, les fenêtres chants de la nuit, et les lucarnes silences. »

P uis un tisserand dit : « Parle-nous des Vêtements. »
     Et il répondit :

« Vos vêtements cachent une grande part de la beauté de votre corps,
     Mais ne peuvent dissimuler les disgrâces de son sort.
     Et bien que vos vêtements vous procurent la liberté de l'intimité, ils risqueraient de vous harnacher et de vous enchaîner.
     Puissiez-vous aller à la rencontre du soleil et du vent, la peau respirant plus de lumière et le corps effleurant moins de vêture.
     Car le souffle de la vie est dans les regards du soleil, et la main de la vie est dans les caresses du vent.

     Certains d'entre vous disent : "C'est le vent du nord qui a tissé les vêtements que nous portons."
     Et moi je leur dis : "Certes, c'est le vent du nord ; mais il effile le tissu ramolli de vos nerfs pour tisser de quoi couvrir votre honte.
     Et dès lors que son ouvrage est achevé, il se met à rire aux éclats dans la forêt."

     N'oubliez pas que la pudeur sert d'armure contre l'œil de l'impur.
     Et lorsque l'impur n'est plus, que devient la pudeur, sinon un carcan pour le corps et une souillure pour l'esprit ?
     Et n'oubliez pas non plus que la terre rêve de toucher la plante de vos pieds et que les vents languissent de caresser le velours de votre corps et de jouer avec votre chevelure. »

Alors un marchand dit : « Parle-nous de l'Achat et de la Vente. » Et il répondit :

« C'est pour vous que la terre porte ses fruits ;
Et vous ne serez jamais dans le besoin, si vous savez comment emplir vos mains.
Échangez les dons de la terre,
Ils vous seront alors multipliés, et vous en serez comblés.
Et si cet échange ne s'accomplit ni dans l'amour ni dans la justice bienveillante,
Certains d'entre vous deviendront âpres au gain et d'autres en proie à la faim.

Lorsque vous, travailleurs de la mer, de la terre et des vignes, rencontrez sur la place du marché vous autres tisserands, potiers et récolteurs d'épices,
Invoquez tous ensemble le maître esprit de la terre afin qu'il se manifeste parmi vous et sanctifie vos balances et vos prix, accordant à chaque valeur sa juste valeur.

Et ne laissez point prendre part à vos transactions ceux qui ont les mains stériles, car ils chercheront à vous vendre leurs paroles en retour de votre labeur.
À de tels hommes vous devriez dire :
"Venez avec nous aux champs ou partez en mer avec nos frères et jetez-y vos filets ;
Et vous verrez que la terre et la mer seront généreuses envers vous comme elles le sont envers nous."

Approchez-vous de ces chanteurs et de ces danseurs, et arrêtez-vous un instant près de ces joueurs de flûte,

Ayez donc le plaisir d'acheter de leur désir d'offrir.

Car eux aussi cueillent des fruits et récoltent de l'encens ;

Bien que leurs présents soient façonnés de rêves, ils sont parures et nourritures pour l'âme.

Et avant de vous séparer sur la place du marché, veillez à ce que nul ne reparte les mains vides.

Car le maître esprit de la terre ne peut trouver le repos sur les ailes du vent, tant que les besoins du plus humble parmi vous n'auront été assouvis. »

Puis l'un des juges de la cité s'avança et dit : « Parle-nous du Crime et du Châtiment. »
Et il répondit :

« Lorsque votre esprit erre au gré du vent,
Vous vous retrouvez sans guide, si ce n'est votre solitude, portant ainsi préjudice à autrui et donc à vous-même.
Et pour avoir causé ce tort, vous devrez alors faire appel aux bienheureux et attendre quelque peu à leur porte dédaigneuse.

Pareil à l'océan est votre moi divin.
Il ne peut jamais être souillé ni foulé aux pieds.
Et comme l'éther, il n'invite dans les airs que les ailés.
Et à l'instar du soleil est votre moi divin.
Il ne connaît pas les galeries des taupes ni ne recherche les nids des serpents.
Cependant votre moi divin ne réside pas seul en vous.
Grand est ce qui est encore humain en vous, et aussi grand est ce qui ne l'est pas encore,
Ce qui n'est qu'un rejeton informe qui chancelle dans la brume en quête de son propre éveil.
Or, c'est de l'homme en vous que j'aimerais vous parler maintenant.
Car c'est lui qui connaît le crime et le châtiment du crime, et non point votre moi divin ni ce moi-pygmée dans la brume.

Souvent je vous ai entendu parler de celui qui fait un faux pas comme s'il n'était pas l'un des vôtres, mais un étranger parmi vous, un intrus dans votre monde.

Mais moi, je vous dis :

"Comme les saints et les justes ne peuvent s'élever encore plus haut que ce qu'il y a de plus noble en vous,

Ainsi les méchants et les faibles ne peuvent sombrer plus bas que ce qu'il y a de plus vil en vous.

De même que pas une seule feuille ne peut jaunir sans que l'arbre entier le sache tout en restant discret,

Ainsi nul homme ne peut mal agir sans que vous tous le vouliez en secret.

Telle une procession, vous avancez tous ensemble vers votre moi divin.

Vous êtes à la fois le chemin et les pèlerins.

Lorsque l'un d'entre vous trébuche, il tombe pour ceux qui sont derrière en mettant en garde leurs pas lents contre la pierre d'achoppement.

Et il tombe pour ceux qui sont devant lui dont le pas est ferme et rapide, bien qu'ils n'aient même pas pris le temps de repousser la pierre d'achoppement."

En dépit de mes mots qui pèsent sur votre cœur, je vous dis encore :

"Celui qui a été assassiné n'est pas irresponsable d'avoir été assassiné.

Et celui qui a été volé n'est pas irréprochable d'avoir été volé.

Le bon n'est pas innocent des actes du méchant.

Et celui qui a les mains blanches ne les a pas pour autant propres dans une sale affaire.

Ainsi, l'offenseur est souvent la victime de l'offensé.

Et plus souvent encore sur le dos du condamné se décharge celui qu'on ne peut inculper et qui reste non blâmé."

Ainsi, vous ne pouvez séparer le juste de l'injuste et le bon du méchant.

Car ensemble ils se tiennent devant la face du soleil, de même que le fil blanc et le fil noir sont tissés ensemble.

Et quand le fil noir vient à se rompre, le tisserand vérifie tout le tissu et n'omet point de regarder de près le métier.

S'il en est un parmi vous qui chercherait à juger l'épouse infidèle,

Qu'il pose le cœur et l'âme de l'époux sur l'autre plateau de la balance.

Et celui qui se permettrait de fustiger l'offenseur, qu'il sonde l'esprit de l'offensé.

Et celui qui tenterait de punir au nom de la droiture et qui irait jusqu'à porter la hache dans l'arbre du mal, qu'il en examine les racines.

En vérité, il trouvera les racines du bon et du mauvais, du fécond et du stérile, toutes entrelacées dans le cœur silencieux de la terre.

Et vous, hommes de justice qui vous évertuez à être justes,

Quel jugement prononceriez-vous contre celui qui se révèle honnête dans la chair alors qu'il est voleur dans l'âme ?

Et quelle peine infligeriez-vous à celui qui tue dans la chair alors qu'il est assassiné en son âme ?

Et comment condamneriez-vous celui qui abuse de votre confiance et use de sa violence,

Quand il se voit blessé dans son cœur et outragé dans son honneur ?

Et comment puniriez-vous celui dont le remords est déjà plus grand que les méfaits ?

Le remords n'est-il pas la justice rendue par cette même loi dont vous êtes les fidèles serviteurs ?

Cependant vous ne pouvez l'imposer à l'innocent ni l'ôter du cœur du coupable ;

De lui-même le remords surgira dans la nuit, réveillant la conscience et l'invitant à se regarder dans le miroir de la vérité.

Et vous qui voudriez comprendre la justice, assurez-vous de faire toute la lumière sur chaque affaire dans ses moindres recoins.

Alors seulement vous saurez que celui qui a la tête haute et celui qui a la tête basse ne font qu'un :

Il se tient à l'heure de l'aurore, à mi-chemin entre la nuit de son moi-pygmée et le jour de son moi divin.

Et vous saurez que la pierre angulaire du temple n'est pas plus noble que la pierre la plus basse de ses fondations. »

E t un avocat demanda : « Qu'en est-il de nos Lois, maître ? »
Il répondit alors :

« Vous vous réjouissez en établissant des lois.
Les violer n'est-il pas votre plus grande joie ?
Vous êtes comme ces enfants qui, jouant sur le rivage de l'océan, s'appliquent à bâtir des châteaux de sable et s'empressent de les détruire à grands coups d'éclats de rire.
Mais alors que vous érigez vos châteaux, l'océan répand davantage de sable sur le rivage.
Et lorsque vous vous amusez à les démolir, il rit avec votre rire.
En vérité, l'océan rit toujours avec les innocents.

Qu'en est-il de ceux pour qui la vie n'est point un océan mais un roc,
Et pour qui les lois humaines ne sont pas des châteaux de sable mais un burin ?
Chercheraient-ils à tailler le roc de leur vie avec le burin de leurs lois afin d'en créér une sculpture à leur propre image ?
Que dire de l'infirme qui hait les danseurs ?
Et que dire du bœuf qui aime son joug, estimant que daims et cerfs sont des bêtes à jamais égarées dans la forêt ?
Qu'en est-il du vieux serpent qui, ne pouvant plus rejeter sa mue, traite tous les autres d'impudiques, car il les voit nus ?
Et qu'en est-il de celui qui arrive trop tôt à la noce et s'en va alourdi par sa bedaine rebondie en qualifiant tout festin de violation de la loi et tout convive de hors-la-loi ?

Que dirais-je de ceux-là, si ce n'est qu'ils se tiennent eux aussi dans la clarté du jour, mais le dos tourné au soleil ?

Ils ne voient que leurs ombres, et leurs ombres sont leurs lois.

Qu'est-ce que le soleil pour eux, sinon un créateur d'ombres ?

Et qu'est-ce que reconnaître les lois, si ce n'est s'incliner jusqu'à terre pour y tracer le contour de leurs ombres ?

Mais vous qui marchez face au soleil, quelles silhouettes esquissées à même la terre pourraient vous arrêter ?

Et vous qui voyagez avec le vent, quelle girouette saurait diriger votre trajet ?

Quelle loi faite par l'homme se permettrait de vous attacher les mains, si vous vous libérez de votre propre joug, mais en évitant de le briser contre la porte de prison d'un homme ?

Quelles sont ces lois qui pourraient vous effrayer, si vous libérez votre corps en dansant, là où vous le désirez, sans pour autant aller trébucher sur les chaînes de fer d'un homme ?

Et qui oserait porter plainte contre vous, si vous vous libérez de vos habits, en prenant garde de ne pas les jeter sur le chemin d'un homme ?

Peuple d'Orphalèse, vous pouvez étouffer le son du tambour et couper les cordes de la lyre, mais qui pourrait interdire à l'alouette de chanter ? »

Puis un orateur dit : « Parle-nous de la Liberté. »
Et il répondit :

« À la porte de la cité et au coin du feu dans vos foyers, je vous ai vus vous prosterner et adorer votre propre liberté,

Comme des esclaves qui, devant un tyran, s'humilient et, bien qu'ils les terrassent, le glorifient.

Dans le jardin du temple et dans l'ombre de la citadelle, j'ai vu les plus libres d'entre vous porter leur liberté comme un boulet à traîner.

Et en moi mon cœur saigna.

« Vous ne pourrez être libre que si le désir même de quérir la liberté devient votre propre harnais,

Et si vous cessez d'en parler comme d'un but à atteindre et d'une fin en soi.

Vous ne serez réellement libre tant que vos jours ne seront pas chargés de soucis et que l'indigence et la souffrance ne pèseront pas sur vos nuits.

Lorsque votre vie sera ceinte de ces contraintes, dès lors au-dessus d'elles vous vous élèverez, nu et délié.

Et comment pourriez-vous vous élever au-dessus de vos jours et de vos nuits,

Si vous ne brisiez pas les chaînes que vous avez vous-même, à l'aube de votre esprit, attachées autour de votre midi ?

En vérité, ce que vous appelez liberté est la plus solide de ces chaînes, même si ses maillons qui brillent au soleil éblouissent vos yeux.

Et qu'est-ce que la liberté, sinon des fragments de vous-même que vous cherchez à écarter ?

Si vous croyez que la clef de la liberté se trouve derrière une loi injuste qu'il suffit d'abolir, dites-vous que cette loi a été inscrite de votre propre main sur votre propre front.

Vous ne pouvez l'effacer ni en brûlant tous vos livres de lois, ni en lavant les fronts de vos juges, dussiez-vous y déverser la mer entière.

Et si vous pensez qu'en détrônant un despote vous retrouverez votre liberté, voyez d'abord si son trône érigé en vous-même est bel et bien détruit.

Car nul tyran ne pourra dominer des sujets libres et fiers que s'il existe déjà une tyrannie dans leur liberté et une honte dans leur fierté.

Si vous cherchez à chasser vos soucis ou à dissiper vos craintes pour libérer ainsi votre esprit,

Sachez que vous-même les avez choisis avant que vous ne les ayez subis,

Et que le siège de votre frayeur est dans votre cœur et non point dans la main de celui qui vous fait peur.

En vérité, tout ce qui se meut en vous est dans une constante semi-étreinte :

Ce qui vous réjouit et ce qui vous terrifie,

Ce que vous haïssez et ce que vous chérissez,

Ce que vous désirez saisir et ce que vous cherchez à fuir.

Vos actes sont des jeux d'ombres et de lumières en couples enlacés.

Toute ombre se dégrade, se fond et se meurt à l'arrivée d'une lumière,

Et toute lumière qui s'attarde derrière ses lisières devient alors une ombre pour une autre lumière.

Ainsi en est-il de votre liberté, dès lors qu'elle se désenchaîne, devient elle-même les chaînes d'une plus grande liberté. »

E t la prêtresse reprit la parole et dit : « Parle-nous de la Raison et de la Passion. »

Il répondit alors :

« Votre âme est souvent le théâtre de combats où le jugement de votre raison livre bataille contre l'appétit de votre passion.

Si seulement je pouvais pacifier les éléments de votre âme, métamorphosant ainsi leur discorde et leur rivalité en mélodie et unité !

Mais comment le pourrais-je, si vous-même ne pacifiiez votre âme, mais encore si vous n'éprouviez de l'amour envers chacun de ses éléments ?

Votre raison et votre passion sont le gouvernail et les voiles de votre âme naviguante.

Si votre gouvernail venait à se briser ou vos voiles à se déchirer,

Vous ne seriez qu'un navire emporté au gré des vents et des courants ou à jamais ancré entre ciel et mer.

Cependant si la raison règne seule, elle bride tout élan.

Et si la passion est livrée à elle-même, elle s'embrase et se consume tout feu tout flamme jusqu'à ce qu'elle se réduise en cendres.

Que votre âme exalte votre raison à la hauteur de votre passion afin qu'elle puisse chanter ;

Et qu'elle dirige avec raison votre passion afin que celle-ci puisse vivre en perpétuelle résurrection et, tel le phénix, renaître de ses propres cendres.

Ô combien j'aimerais vous voir traiter votre bon sens et votre appétence, comme vous le feriez dans votre foyer pour deux convives bien-aimés !

Certes, vous veillerez à ne pas faire plus honneur à l'un qu'à l'autre. Car préférer l'un d'eux, c'est perdre l'amour et la confiance des deux.

Lorsque, au cœur des collines, vous êtes assis à l'ombre fraîche des peupliers blancs, partageant la paix et la sérénité des champs et des prés, que votre cœur dise en silence :

"Dieu se repose dans la raison."

Et quand l'orage menace, que le vent impétueux ébranle les arbres et que les tonnerres et les éclairs proclament la majesté du ciel, dès lors laissez votre cœur dire avec une crainte révérencielle :

"Dieu se meut dans la passion."

Et comme vous êtes un souffle dans la sphère de Dieu et une feuille dans la forêt de Dieu, vous aussi devriez vous ressourcer dans la raison et vous élancer dans la passion. »

Alors une femme dit : « Parle-nous de la Douleur. »
Et il répondit :

« Votre douleur est cette fissure de la coquille qui recèle l'harmonie de votre esprit.

Et comme le noyau d'un fruit doit se briser afin que le cœur puisse mûrir au soleil, ainsi devez-vous connaître la douleur.

Si vous pouviez maintenir votre cœur émerveillé devant les miracles quotidiens de votre vie,

Votre douleur vous paraîtrait aussi merveilleuse que votre joie ;

Et vous accepteriez les saisons qui animent vôtre cœur, comme vous avez de tout temps accepté les quatre saisons qui traversent vos champs.

Et enfin vous sauriez comment veiller avec sérénité tout au long des hivers de vos malheurs.

Une grande part de votre douleur est choisie par vous-même.

La douleur n'est-elle pas cette potion amère que prescrit le médecin en vous pour guérir votre moi malade ?

Ayez confiance en ce médecin, et buvez donc sa potion en silence et en toute quiétude.

Bien que sa main soit forte et pesante, elle est guidée par la tendre main de l'Invisible.

Et même si la coupe d'argile qu'il vous tend vous brûle les lèvres, sachez que le Potier l'a pétrie de Ses larmes sacrées. »

Puis un homme dit : « Parle-nous de la Connaissance de Soi. »

Et il répondit :

« Votre cœur connaît en silence les secrets des jours et des nuits.

Mais vos oreilles ont soif d'entendre la résonance de cette connaissance enfouie dans votre cœur.

Vous voudriez connaître en paroles ce que vous avez toujours connu en pensée.

Et vous aimeriez toucher du doigt le corps nu de vos rêves.

Et c'est bien qu'il en soit ainsi.

La source cachée de votre âme doit fuser puis ruisseler en murmurant vers la mer ;

Et les trésors de vos infinies profondeurs pourraient dès lors étinceler dans votre regard.

Mais ce n'est point avec une balance que vous pouvez estimer votre trésor inconnu,

Ni avec une perche ou une sonde que vous parvenez à explorer le fond de votre connaissance.

Car le moi est une mer sans limites ni mesure.

Ne dites pas : "J'ai trouvé la vérité", mais plutôt : "J'ai trouvé une vérité."

Ne dites pas : "J'ai trouvé le chemin de l'âme." Dites plutôt : "J'ai rencontré l'âme marchant sur mon chemin."

Car l'âme passe par tous les chemins.

Elle ne suit pas une seule voie, ni ne croît comme un roseau.

Elle se déploie plutôt, tel un lotus aux innombrables pétales. »

Alors dit un maître : « Parle-nous de l'Enseignement. »
Et il répondit :

« Nul homme ne peut vous révéler quoi que ce soit qui ne sommeille déjà dans l'aube de votre connaissance.

Le maître qui marche à l'ombre du temple, parmi ses disciples, ne donne pas de sa sagesse mais plutôt de sa foi et de sa tendresse.

Et s'il est vraiment sage, il ne vous invitera pas à entrer dans le logis de la sagesse, mais il vous guidera jusqu'au seuil de votre esprit.

L'astronome peut vous parler de sa propre compréhension de l'espace, mais non point vous la donner.

Le musicien peut vous chanter le rythme qui palpite dans tout espace,

Mais il ne pourrait vous donner l'oreille qui saisit le rythme, ni la voix qui lui fait écho.

Et celui qui est versé dans la science des nombres peut vous parler des confins du mesurable, mais ne saurait vous y conduire.

Car la vision d'un homme ne prête pas ses ailes à un autre homme.

Et comme chacun de vous se tient seul dans le savoir de Dieu ainsi chacun de vous doit rester seul dans sa connaissance de Dieu et dans sa compréhension du monde. »

E t un jeune dit : « Parle-nous de l'Amitié. »
Il répondit alors :

« Votre ami est la réponse à vos besoins.

Il est votre champ dont les semailles sont amour et la moisson, reconnaissance.

Au foyer de votre ami, votre couvert est toujours mis et auprès de sa cheminée, il y a toujours une place pour vous réchauffer.

Car vous venez à lui pour apaiser votre faim et vos chagrins.

Quand votre ami vous confie ses pensées, ne craignez pas de le critiquer et ne vous retenez pas de l'encourager.

Et lorsqu'il ne dit mot, que votre cœur ne cesse d'écouter ce qui palpite dans son cœur.

Car en amitié toute pensée, envie et attente naissent muettes et se partagent avec une joie discrète.

Quand vous devez vous séparer de votre ami, que l'heure des adieux ne vous afflige que peu.

Car ce que vous aimez le plus en sa présence pourra vous paraître plus limpide en son absence.

Le sommet n'est-il pas plus visible de la plaine pour celui qui gravit la colline ?

Il n'est de but dans l'amitié, si ce n'est l'approfondissement de l'esprit.

Car l'amour qui n'aspire pas à révéler son propre mystère n'est point amour, mais un filet jeté sur une prise de futilités.

Que le meilleur de vous-même soit pour votre ami.

S'il doit connaître le reflux de votre marée, qu'il en connaisse aussi le flux.

À quoi bon un ami auquel vous ne feriez appel que pour tuer le temps ?

Recherchez plutôt sa compagnie pour des heures pleines de vie.

Car il lui appartient de combler votre besoin mais non point votre vide.

Et dans la douceur de l'amitié, qu'il y ait rire et partage de plaisirs.

Car dans la rosée des petites choses, le cœur retrouve son petit matin et ainsi il s'en trouve rafraîchi. »

Alors un homme de lettres demanda : « Qu'est la Parole ? »
Et il répondit :

« Vous parlez quand vous cessez d'être en paix avec vos pensées.

Et lorsque vous vous lassez d'habiter la solitude de votre cœur, vous allez vivre sur vos lèvres ; ainsi les sons qui s'en échappent vous servent de divertissement et de passe-temps.

Et souvent vous noyez la moitié de vos pensées sous les flots de vos paroles.

Or, la pensée est un oiseau éthéré qui pourrait déployer ses ailes dans une cage de mots, mais ne saurait s'envoler.

Certains d'entre vous recherchent les bavards par crainte de rester seuls.

Comme ils se sentent mis à nu par le silence de la solitude, ils préfèrent alors le fuir.

Et d'autres parmi vous parlent et, sans le savoir ni le prévoir, de leur bouche sort une vérité dont ils ignorent la portée.

Il en est aussi qui portent la vérité en eux-mêmes et la transmettent sans passer par la parole ;

C'est en leur sein que se love l'esprit en silence rythmé.

Lorsque vous rencontrez un ami au bord de la route ou sur la place du marché, que l'esprit en vous anime vos lèvres et inspire votre langue,

Et que la voix en votre voix parle à l'oreille de son oreille ;

Ainsi son âme garde la vérité de votre cœur comme le palais se souvient du bouquet du vin,

Même si sa couleur est oubliée, même si la coupe n'est plus. »

E t un astronome demanda : « Qu'en est-il du Temps ? »
Il répondit alors :

« Vous voudriez mesurer ce qui dépasse toute mesure et ne se laisse mesurer : le temps.

Vous aimeriez régler votre ligne de conduite mais encore diriger le cours de votre esprit selon vos montres et vos calendriers.

Et vous souhaiteriez faire du temps une rivière pour vous asseoir sur sa rive et la regarder couler.

Cependant ce qui en vous est étranger au temps sait que la vie échappe au temps,

Et qu'hier n'est autre que la mémoire d'aujourd'hui, et que le rêve d'aujourd'hui est demain.

Et il sait que ce qui chante et contemple en vous vit toujours à l'intérieur des frontières de ce premier instant qui éparpilla les étoiles dans le firmament.

Qui parmi vous ne ressent pas que la force de son amour est sans limites ?

Et pourtant qui parmi vous ne ressent pas que ce même amour, bien qu'illimité, se condense au centre de son existence,

Ne pouvant plus donner libre cours à une autre pensée d'amour, ni à un autre geste d'amour ?

Le temps n'est-il pas comme l'amour, sans césure ni cadence ?

Mais si dans votre pensée vous devez mesurer le temps en saisons, que chaque saison enlace toutes les autres.

Que chaque jour garde souvenance de sa veille en la serrant fort dans ses bras,

Et que chaque jour languisse après son lendemain en lui tendant bien loin ses mains. »

Puis l'un des anciens de la cité dit : « Parle-nous du Bien et du Mal. »

Et il répondit :

« Du bien en vous je peux vous parler mais non du mal.

Car qu'est-ce que le mal, sinon le bien torturé par sa faim et sa soif ?

En vérité, le bien ira jusqu'à fouiller le fond ténébreux des cavernes, s'il faut calmer sa faim ;

Et s'il faut étancher sa soif, il ira jusqu'à boire dans l'eau qui croupit au fond d'une mare.

Vous êtes bon lorsque vous ne faites qu'un avec vous-même,

Sinon, vous n'êtes pas mauvais pour autant.

Car si votre foyer est désuni, il n'est pas un repaire de brigands mais seulement un foyer désuni.

Et votre navire sans gouvernail, au milieu d'un champ d'écueils, peut être à la merci du vent et des courants sans qu'il sombre pour autant.

Vous êtes bon, si vous vous dévouez pour donner de vous-même ;

Cependant vous n'êtes pas mauvais, si vous en tirez profit pour vous-même.

Car lorsque vous vous démenez pour réaliser un gain, vous êtes semblable à cette racine qui s'agrippe à la terre et se nourrit à son sein.

Certes, le fruit n'ose point dire à la racine : "Sois comme moi, mûre et juteuse, toujours généreuse."

Car de même qu'il est nécessaire au fruit de se donner, il est nécessaire à la racine de recevoir.

Vous êtes bon lorsque vous parlez avec un esprit en plein éveil.

Pourtant vous n'êtes pas mauvais, quand vous marmonnez en plein sommeil.

Et n'est-ce pas à force de balbutier que l'enfant finit par parler ?

Vous êtes bon lorsque vous marchez d'un pas ferme vers un but que vous vous êtes fixé.

Pourtant vous n'êtes pas mauvais, si vous y allez en clochant du pied.

Car même ceux qui boitent ne marchent pas à reculons.

Mais vous qui jouissez d'une saine membrure et d'une leste allure, gardez-vous de claudiquer devant les infirmes, en signe de compassion.

Ainsi il est mille et un chemins à prendre pour être bon,

Et vous n'êtes pas mauvais, si vous ne prenez pas le bon ;

Mais vous vous plaisez à vous y arrêter pour flâner et papillonner.

Il est regrettable que les cerfs ne puissent enseigner aux tortues ce qu'est la vélocité.

En votre désir de quérir votre moi géant réside le bien en vous,

Et ce désir vous habite tous.

Mais chez certains ce désir est un torrent qui, dévalant vers la mer, charrie les secrets des collines et les chants des forêts.

Et chez d'autres il n'est qu'un ruisselet nonchalant qui se perd en méandres et s'attarde à atteindre le rivage.

Mais que celui qui est ambitieux ne dise pas à celui qui veut peu :

"Pourquoi es-tu si lent et pourquoi t'arrêtes-tu si souvent ?"

Car celui qui est véritablement bon ne demande pas à celui qui est sans habits :

"Où sont donc tes vêtements ?"

Ni à celui qui est sans abri :

"Qu'est devenue ta maison ?" »

Alors une autre prêtresse dit : « Parle-nous de la Prière. »
Et il répondit :

« Vous priez dès lors que vous êtes dans un grand dénuement et en plein désarroi.

Puissiez-vous prier aussi lorsque la fortune vous sourit et que vous êtes ivre de joie !

Car qu'est-ce que la prière, si ce n'est l'expansion de votre être dans les atmosphères de l'éther vivant ?

Si vous priez pour vous soulager en déversant le calice de votre amertume dans le ciel,

Priez aussi pour vous réjouir en y laissant luire l'aube de votre cœur.

Et si l'appel de votre âme à la prière est synonyme d'invitation aux larmes,

Votre âme doit alors vous éperonner les yeux encore et encore, en dépit de vos pleurs, jusqu'à ce que vous vous y rendiez, le sourire aux lèvres.

Lorsque vous priez, vous vous élevez dans les airs à la rencontre de tous ceux qui prient en cet instant, alors que jamais vous ne les auriez rencontrés autrement.

Que votre visite à ce temple invisible ne soit donc que pour l'extase et la douce communion.

Car si vous devez entrer en ce temple dans le seul but de quémander, alors vous ne recevrez rien.

Et si c'est pour vous humilier, vous ne serez jamais relevé.

Ou même si c'est à dessein de faire des vœux pour le bien d'un proche, vous ne serez point exaucé.

Heureux sont ceux qui ne cherchent qu'à entrer dans ce temple invisible.

Je ne puis vous apprendre à prier avec des mots.

Car Dieu ne prête point l'oreille aux mots que vous Lui susurrez,

Il écoute plutôt ceux qu'Il souffle Lui-même jusqu'à vos lèvres.

Et je ne puis vous enseigner les prières des mers ni celles des forêts et des montagnes,

Car vous qui êtes fruit des entrailles des montagnes, des forêts et des mers, vous pouvez entendre leurs prières résonner dans votre cœur.

Et si seulement vous les écoutez dans la quiétude de la nuit, vous les entendrez dire en silence :

"Notre Dieu, qui es notre moi ailé, c'est ta volonté en nous qui veut.

C'est ton désir en nous qui désire.

Et c'est ton élan en nous qui voudrait métamorphoser nos nuits, qui sont tiennes, en jours qui sont tiens aussi.

Nous ne pouvons rien t'implorer, car tu connais nos besoins avant même qu'ils ne naissent en nous.

Tu es notre besoin ; et en nous donnant plus de toi-même, tu nous donnes tout." »

Puis un ermite, qui ne visitait la cité qu'une fois l'an, s'approcha de la foule et dit : « Parle-nous du Plaisir. »

Et il répondit :

« Le plaisir est un chant de liberté,

Mais il n'est pas la liberté.

Il est le bourgeon de vos désirs,

Mais il n'en est pas le fruit.

Il est l'appel de la vallée vers le sommet,

Mais il n'est ni géhenne ni éden.

Il est celui qui brise sa cage et prend son envol,

Mais il n'est pas le dôme du ciel.

En vérité le plaisir est un chant de liberté.

Ô combien je désirerais vous voir le chanter de plein cœur !

Mais je ne souhaiterais point que vous y perdiez votre cœur.

Parmi vos jeunes, certains recherchent le plaisir comme s'il était tout dans la vie. Et ils sont jugés et corrigés.

Plutôt que de leur faire grief et honte, je les laisserais poursuivre leur quête.

Car ils trouveront le plaisir, mais sauront qu'il n'est point seul.

Sept sont ses sœurs, et la moindre d'entre elles est plus belle que le plaisir.

N'avez-vous pas entendu parler de cet homme qui, creusant la terre à la recherche de racines, découvrit un trésor ?

Parmi vos anciens, certains se remémorent leurs plaisirs avec regret, comme si c'étaient des erreurs commises en état d'ivresse.

Mais le regret ne punit pas l'esprit, il l'assombrit.

Ils devraient s'en souvenir avec gratitude, comme ils le feraient pour une moisson d'été.

Et s'ils sont apaisés dans leurs remords, laissez-leur ce réconfort.

Et il en est parmi vous qui ne sont ni jeunes pour la recherche, ni vieux pour la souvenance.

Ne voulant ni quérir ni se souvenir, ils fuient tout plaisir, par crainte de négliger l'esprit ou de l'offenser.

Et comme ils se plaisent à s'abstenir, n'est-ce pas là leur propre plaisir ?

Ainsi trouveront-ils, eux aussi, un trésor alors qu'ils déterrent des racines avec leurs mains frémissantes.

Mais dites-moi, qui peut offenser l'esprit ?

Le rossignol viole-t-il la sérénité de la nuit ?

La luciole défie-t-elle les étoiles ?

Et votre flamme ou votre fumée étouffent-elles le vent ?

Pensez-vous que l'esprit est un calme étang que vous pouvez troubler avec un bâton ?

Souvent, en vous privant du plaisir, vous ne faites qu'engranger le désir dans les recoins de votre être.

Qui sait si ce qui semble être omis aujourd'hui n'est pas en attente du lendemain ?

Votre corps connaît bien le legs de son passé et la légitimité de ses droits et jamais n'acceptera d'être frustré.

Votre corps est la harpe de votre âme,

Il vous appartient d'en tirer des notes dissonantes ou une douce mélodie.

Et maintenant vous vous demandez en votre cœur : "Comment distinguer dans le plaisir ce qui est bon de ce qui ne l'est point ?"

Allez donc apprendre dans vos champs et vos jardins ce qu'est le plaisir de l'abeille qui butine le miel de la fleur,

Mais aussi le plaisir de la fleur qui offre son nectar à l'abeille.

Car pour l'abeille une fleur est source de vie, comme pour la fleur une abeille est messagère d'amour.

Et pour les deux, abeille et fleur, donner et recevoir du plaisir sont un besoin et une extase.

Peuple d'Orphalèse, soyez dans la ronde de vos plaisirs fleurs et abeilles. »

E t un poète dit : « Parle-nous de la Beauté. »
Il répondit alors :

« Où chercher la beauté et comment la trouver sans qu'elle soit le fil de vos jours et l'aiguille de votre boussole ?

Et comment pouvez-vous parler d'elle, si elle ne prend l'aiguille et enfile vos paroles ?

Ceux qui sont envahis d'affliction disent :
"La beauté est aimable et agréable ;
Elle marche parmi nous telle une jeune mère intimidée par sa gloire."

Et ceux qui sont épris de passion d'infirmer :
"Non, la beauté est plutôt puissante et terrifiante ;
Comme un ouragan elle nous enveloppe de pied en cap, ébranlant ciel et terre."

Ceux qui réclament le repos disent :
"La beauté souffle dans notre esprit de doux chuchotis.
Et sa voix s'incline devant nos silences pareille à une lueur qui vacille de peur devant les ténèbres."

Et ceux qui s'affairent sans repos d'objecter :
"Nous avons entendu la beauté crier dans les montagnes ;
Et à sa voix se mêlaient des martèlements de sabots, des battements d'ailes et des rugissements de lions."

La nuit, les veilleurs de la cité disent :
"La beauté se lèvera avec l'aurore par-delà le levant."

Et à midi, les travailleurs et les voyageurs de rétorquer :

"Nous l'avons vue derrière la fenêtre du couchant pencher la tête vers la terre."

Dans leur prison de neige les montagnards disent :
"La beauté viendra avec le printemps gambader dans les collines."
Et dans les ardeurs de l'été les moissonneurs de soupirer :
"Nous l'avons vue valser avec les feuilles d'automne, les cheveux perlés de neige."

Voilà tout ce que vous avez dit de la beauté.
Mais en vérité, ce n'est pas d'elle que vous parliez mais de vos désirs inassouvis.
La beauté n'est pas un désir mais une extase.
Elle n'est pas une main vide tendue, ni une bouche assoiffée,
Mais un cœur embrasé et une âme grisée.
Elle n'est pas l'image que vous désireriez voir, ni le chant que vous aimeriez entendre.
Elle est plutôt un chant que vous ne cesserez d'entendre, les oreilles bouchées, et une image que vous continuerez à voir, les yeux fermés.
Elle n'est pas la sève qui coule dans les rides de l'écorce, ni une aile saisie par une griffe,
Mais un jardin toujours en fleurs et une nuée d'anges toujours en vol.

Peuple d'Orphalèse, la beauté est la vie quand la vie dévoile sa sainte face ;
Mais vous êtes la vie et vous êtes le voile.
La beauté est l'éternité lorsque l'éternité se contemple dans un miroir ;
Mais vous êtes l'éternité et vous êtes le miroir. »

P uis un vieux prêtre dit : « Parle-nous de la Religion. »
Et il répondit :

« Ai-je parlé d'autre chose aujourd'hui ?
La religion n'est-elle pas dans toute réflexion et toute action sans
être ni réflexion ni action,
Mais un étonnement et un émerveillement qui ne cessent de des-
siller et d'écarquiller les yeux de votre âme,
Même si vos mains sont en train de tailler la pierre ou vos doigts
de tirer l'aiguille ?

Qui peut séparer sa foi de ses fonctions, ou sa croyance de ses
occupations ?
Qui peut étaler ses heures devant lui en disant : "Celles-ci je les
consacre à Dieu et celles-là je les réserve pour moi ; ceci est pour
mon âme et cela pour mon corps" ?
En vérité, toutes vos heures sont des ailes qui se déploient et se
ploient, traversant l'espace entre vous et vous-même.
Celui qui se vêt de sa moralité comme d'un costume d'apparat
ferait mieux de s'afficher le corps dénudé.
Ni le vent ni le soleil ne feront d'accrocs dans sa peau.
Et celui qui règle sa conduite selon une éthique met en cage son
oiseau chanteur.
Le chant le plus libre ne passe point à travers les barreaux et les
fils de fer.
Quant à celui qui fait de son culte une fenêtre tantôt ouverte et
tantôt fermée,
Il n'a pas encore visité le logis de son âme dont les fenêtres restent
ouvertes d'aurore en aurore.

Votre vie quotidienne est votre temple et votre religion.

Lorsque vous y entrez, que tout votre être vous accompagne.

Outre la charrue et la forge, prenez avec vous le maillet et le luth,

Et tout ce que vous avez façonné par nécessité ou par plaisir.

Car en méditation vous ne pouvez vous élever au-dessus de vos exploits ni tomber plus bas que vos échecs.

Et tâchez d'emmener avec vous tout le monde,

Car en adoration vous ne saurez voler plus haut que leurs espoirs, ni vous humilier plus bas que leurs désespoirs.

Et si vous voulez connaître Dieu, sachez qu'Il n'est point une énigme comme vous l'imaginez pour le plaisir de le deviner.

Regardez plutôt autour de vous et vous Le verrez jouant avec vos enfants.

Regardez le ciel et vous Le verrez marchant dans les nuées, étendant Ses bras dans les éclairs et descendant en gouttelettes de pluie.

Vous Le verrez sourire dans les fleurs, puis Se lever en remuant Ses mains dans les arbres. »

Alors Al-Mitra reprit la parole et dit : « À présent, nous aimerions t'interroger sur la Mort. »
Et il répondit :

« Vous voudriez percer le secret de la mort,
Mais comment y parvenir sans aller le chercher au cœur de la vie ?
Le hibou qui vit à l'orée de la nuit est aveugle au jour ; ses yeux ne peuvent dévoiler le mystère de la lumière.
Si vous brûlez de voir l'esprit de la mort, ouvrez grand votre cœur dans le corps de la vie.
Car la vie et la mort ne font qu'un, comme ne font qu'un la rivière et la mer.

Dans les profondeurs de vos espoirs et de vos désirs sommeille votre silencieuse connaissance de l'au-delà ;
De même que la semence rêve sous la neige, votre cœur rêve des épousailles du printemps.
Ayez confiance en vos rêves, car en eux sont cachées les clefs de l'éternité.

Votre effroi face à la mort n'est que ce tremblement du berger lorsque le roi lui fait l'honneur de le recevoir et s'apprête à poser la main sur sa tête.
Or, en allant recevoir l'insigne du roi, le berger ne sait-il pas qu'un frisson de joie s'éveille déjà sous sa frayeur ?
Et pourtant n'est-il pas encore plus conscient de sa peur ?

Qu'est-ce donc que mourir, si ce n'est s'offrir nu au vent et s'évaporer au soleil ?

Et cesser de respirer, n'est-ce pas libérer le souffle de ses perpétuelles marées, afin de s'élever sans le poids de la chair et de s'exhaler à la recherche de Dieu ?

Quand vous aurez bu à la rivière du silence, alors seulement vous pourrez véritablement chanter.

Et lorsque vous aurez atteint le sommet de la montagne, vous commencerez à monter.

Et dès lors que la terre aura réclamé votre corps, vous saurez enfin danser. »

E t le soleil commençait à décliner.

Al-Mitra, la devineresse, dit alors :
« Bénis soient ce jour et ce lieu, et béni soit ton esprit qui a parlé. »
Et il répondit :
« Était-ce moi qui parlais ?
N'étais-je pas aussi de ceux qui écoutaient ? »

Puis il descendit les marches du Temple et tout le peuple le suivit.

Il monta à bord de son vaisseau et se tint sur le pont.

Puis il posa son dernier regard sur le peuple et d'une voix forte leur dit :

« Peuple d'Orphalèse, le vent me mande de partir. Ma hâte est moins fougueuse que celle du vent, et pourtant je dois partir.

Nous les errants, en quête perpétuelle du chemin le plus solitaire, jamais nous ne commençons une nouvelle journée là où la veille s'est terminée ;

Et jamais le soleil à son lever ne peut nous retrouver là où il nous a laissés à son coucher.

Même pendant que la terre sommeille, nous continuons à sillonner le monde.

Nous sommes les graines d'une plante tenace,

Et lorsque notre cœur sera mûr, nous serons livrés aux airs qui nous sèmeront aux quatre vents.

Brefs ont été mes jours parmi vous, et plus brèves encore mes paroles.

Mais si ma voix doit s'éteindre dans vos oreilles et mon amour s'évanouir dans votre mémoire, alors je reviendrai ;

Et c'est avec un cœur plus enrichi et des lèvres encore plus offertes à l'esprit que je parlerai.

Je reviendrai avec la marée montante ;

Et même si la mort ensevelit mon cœur et le suprême silence scelle mes lèvres, à nouveau je solliciterai votre compréhension.

Et ce ne sera pas en vain.

S'il est quelque chose de vrai dans tout ce que je disais, cette vérité reviendra se révéler par une voix plus claire et par des mots plus proches de vos pensées.

Je pars avec le vent, peuple d'Orphalèse, mais je ne sombre point dans le vide.

Et si ce jour n'est pas la réponse à vos demandes ni l'accomplissement de mon amour, qu'il soit alors une promesse pour un autre jour.

Les attentes de l'homme changent mais point son amour, ni son désir de voir son amour répondre à ses attentes.

Sachez donc que du silence suprême je reviendrai.

La brume qui à l'aube lève l'ancre et déambule dans les champs en leur laissant la rosée en souvenir,

Flottera dans les hauteurs et se rassemblera en nuage, pour ensuite retomber en pluie.

Et je n'ai point été différent de la brume.

Dans la quiétude de la nuit j'ai marché dans vos rues, et mon esprit a visité vos maisons ;

Et les battements de vos cœurs retentissaient dans mon cœur, et votre souffle effleurait mon visage.

C'est ainsi que je vous ai tous connus.

J'ai connu vos joies et vos peines ; et dans votre sommeil vos rêves étaient mes rêveries.

Et souvent j'étais parmi vous tel un lac au cœur des montagnes.

Je mirais vos versants et vos sommets ainsi que les volées de vos désirs et de vos pensées.

Et que de fois dans mon silence venaient se déverser, en ruisselets, le rire de vos enfants et, en rivières, le désir de vos jeunes gens !

Et lorsque leur rire et leur désir gagnaient mes profondeurs, les ruisselets et les rivières ne cessaient de chanter.

Mais je pus percevoir au-delà du rire une douceur encore plus suave, et au-delà du désir une grandeur encore plus sublime.

Ce fut l'illimité en vous :

Dans cet être géant vous n'êtes tous que cellules et tendons ;

Et dans sa mélopée tous vos chants ne sont qu'une sourde vibration.

Mais c'est dans cet être géant que vous êtes géants,

Et c'est en l'admirant que je vous ai contemplés et vous ai aimés.

Car quelles distances l'amour peut-il couvrir qui ne soient contenues dans cette sphère géante ?

Quelles visions, passions et illusions si perçantes et si délirantes qu'elles puissent dépasser cet envol ?

Tel un chêne gigantesque couvert de fleurs de pommier est cet être illimité en vous.

Sa force vous attache à la terre, sa fragrance vous élève dans l'espace, et dans sa pérennité vous êtes plus forts que la mort.

Il vous a été dit : "Bien que vous tous formiez une chaîne, chacun de vous est aussi faible que le plus faible des maillons."

Mais ce n'est là que la moitié de la vérité.

Car chacun de vous est en même temps aussi faible et aussi fort que le dernier et le premier maillon de la chaîne.

Vous mesurer à l'aune de votre exploit le plus infime ce serait estimer la puissance de l'océan à la fragilité de son écume.

Vous juger sur vos défaillances ce serait blâmer les saisons pour leur inconstance.

Vous êtes comme un océan.

Si des navires venaient à s'ensabler, ils ne pourraient qu'attendre le retour de la marée haute sur vos rivages ;

Car pas plus que l'océan vous ne pouvez hâter vos flux ni écourter vos reflux.

Vous êtes aussi comme les saisons.

Bien qu'en votre hiver vous niiez votre printemps,

Cependant le printemps, qui se love en vous, sourit dans sa somnolence et se soucie peu de toute offense.

Ne croyez pas que je dise cela à dessein de vous entendre répéter les uns aux autres :

"Il n'a pas tari d'éloges sur nous et n'a vu que le bien en nous."

Je ne vous dis en paroles que ce que vous connaissez vous-mêmes en pensée.

Et qu'est-ce que la connaissance en paroles, sinon une ombre de la connaissance sans paroles ?

Vos pensées et mes paroles sont les ondes émanant d'une mémoire scellée qui tient les registres de nos hiers,

Et des jours anciens où la terre ne savait rien de nous ni d'elle-même,

Et des nuits où la terre était en proie aux convulsions de son chaos.

Des sages sont venus pour vous donner de leur sagesse. Quant à moi, je suis venu pour prendre de votre sagesse.

Et voilà que j'ai trouvé ce qui est encore plus important que la sagesse.

C'est un esprit ardent en chacun de vous qui ne cesse d'aviver lui-même son feu,

Tandis que vous, indifférents à l'ampleur croissante de son ardeur, vous lamentez sur la fuite de vos jours.

Cet esprit est la vie en quête de vie dans des corps qui redoutent la mort.

Il n'est point de tombes ici.

Ces montagnes et ces plaines sont un berceau et un tremplin.

Chaque fois que vous passez près du champ où reposent vos ancêtres, regardez-le bien et vous vous verrez avec vos enfants dansant la main dans la main.

En vérité, vous faites souvent la fête sans le savoir.

D'autres sont venus à vous et vous ne leur avez donné que richesse, puissance et gloire en échange de promesses en or.

Quant à moi, je vous ai donné moins qu'une promesse, et pourtant vous avez été bien plus généreux envers moi.

Vous m'avez donné ma plus profonde soif de vie.

Certes, il n'est de don plus précieux pour un homme que celui qui transforme toutes ses aspirations en lèvres desséchées et toute sa vie en fontaine.

Et voilà où résident mon honneur et ma récompense :

À chaque fois qu'à la fontaine je vais me désaltérer, je trouve l'eau vive elle-même assoiffée ;

Ainsi elle s'abreuve de moi tandis que je la bois.

Certains d'entre vous m'ont jugé trop fier et trop farouche pour accepter des dons.

Je suis en effet trop fier pour recevoir un salaire mais non point des présents.

Que de fois ai-je mangé des baies dans les collines, alors que vous auriez souhaité m'inviter à votre table !

Et combien de fois ai-je dormi sous le portique du temple, alors que vous m'auriez de bon gré reçu sous votre toit !

Mais n'était-ce pas votre douce prévenance pour mes jours et mes nuits qui édulcorait la nourriture dans ma bouche et qui auréolait mon sommeil de visions ?

Je vous bénis surtout pour ceci :

Vous donnez beaucoup sans savoir que vous donnez.

En vérité, la bonté qui se flatte devant un miroir est changée en statue de sel.

Et une bonne action qui se couvre d'éloges couve une malédiction.

Et certains parmi vous m'ont trouvé distant et ivre de mon isolement ;

Et vous, vous avez dit : "Il préfère converser avec les arbres de la forêt plutôt qu'avec les hommes.

Retiré dans les sommets, il se plaît à dominer du regard notre cité."

Il est vrai que j'ai gravi montagnes et collines et parcouru des contrées lointaines ;

Mais comment aurais-je pu vous voir, sinon de très haut ou de très loin ?

Comment quelqu'un peut-il, en vérité, vous voir de près, à moins de vous regarder de loin ?

Et d'autres parmi vous m'ont interpellé dans le secret de leur cœur en disant :

"Étranger, étranger, toi qui es amoureux d'inaccessibles hauteurs, pourquoi habites-tu les sommets où se nichent les aigles ?

Pourquoi cherches-tu l'insaisissable ?

Quels éclairs aimerais-tu capturer dans ton filet ?

Et quels oiseaux nébuleux voudrais-tu chasser dans le ciel ?

Descends donc et sois des nôtres.

Viens apaiser ta faim avec notre pain et étancher ta soif avec notre vin."

Ils m'ont dit tout cela dans la solitude de leur âme.

Mais s'ils avaient connu une solitude plus profonde, ils auraient compris que je ne recherchais que les mystères de vos joies et de vos peines,

Et que je ne poursuivais que votre plus grand moi qui arpente le ciel.

Or, le chasseur était aussi la proie ;

Car plusieurs de mes flèches quittaient mon arc pour se loger dans ma poitrine.

Et l'oiseau était aussi le reptile ;

Car lorsque je déployais mes ailes dans le soleil, leur ombre sur la terre se dessinait en tortue.

Et moi le croyant, j'étais aussi celui qui doutait ;

Car j'ai souvent mis le doigt dans ma plaie, afin de mieux croire en vous et de mieux vous connaître.

Ainsi, fort de cette croyance et de cette connaissance je vous dis :

"Votre moi n'est pas cloîtré dans votre corps, ni confiné dans des maisons ou des champs.

Ce qui est vous plane au-dessus de la montagne et flâne avec le vent.

Ce n'est pas une chose qui se traîne au soleil pour se réchauffer ou qui se terre dans l'obscurité pour se protéger.

Mais c'est une chose libre, un esprit qui enveloppe la terre et flotte dans l'éther."

Si ces paroles sont vagues, alors ne cherchez pas à les rendre claires.

Vague et nébuleux est le commencement de toute chose mais non sa fin.

Et j'aimerais tant que vous vous souveniez de moi comme d'un commencement.

La vie, comme tout ce qui vit, est conçue dans la brume et non dans le cristal.

Et qui sait si le cristal n'est pas une brume au déclin de sa vie ?

À chaque fois que vous évoquez mon nom, puissiez-vous ramener à fleur de mémoire ces souvenirs :

Ce qui semble le plus faible et le plus fourvoyé en vous est le plus fort et le plus ferme.

N'est-ce pas votre souffle qui a échafaudé et consolidé la charpente de votre corps ?

Et n'est-ce pas un rêve, dont aucun parmi vous ne se souvient avoir rêvé, qui a bâti votre cité et façonné tout ce qu'elle contient ?

Si seulement vous pouviez voir les marées de ce souffle, vous cesseriez de voir tout le reste.

Et si vous pouviez entendre les chuchotis de ce rêve, vous n'entendriez nul autre son.

Mais vous ne voyez ni n'entendez, et c'est bien qu'il en soit ainsi.

Demain, le voile qui couvre vos yeux sera levé par les mains qui l'ont tissé.

Et l'argile qui scelle vos oreilles sera brisée par les doigts qui l'ont pétrie.

Dès lors vous verrez.

Et vous entendrez.

Mais vous ne devrez point vous lamenter d'avoir été aveugles et sourds.

Car en ce jour vous connaîtrez la raison cachée de toute chose,

Et vous bénirez les ténèbres comme vous aimeriez bénir la lumière. »

Ayant dit cela, il se retourna et vit le capitaine de son navire tenant la barre et qui tantôt considérait les voiles déployées, tantôt scrutait le large.

Et il dit :

« Patient, trop patient, est le capitaine de mon vaisseau.

Le vent souffle et les voiles ne se lassent d'ondoyer ;

Même le gouvernail est avide d'un cap.

Et pourtant calmement le capitaine attend mon silence.

Et ces marins, coutumiers d'entendre le chœur de la sublime mer, eux aussi avec patience m'ont écouté.

Dès à présent, ils n'auront plus à attendre.

Je suis prêt.

La rivière a atteint la mer, et une fois de plus la sublime mère étreint son fils contre son sein.

Adieu peuple d'Orphalèse.

Ce jour a pris fin.

Il se referme sur nous, comme le nénuphar se replie sur son lendemain.

Ce qui nous a été donné jusqu'à cet instant nous le garderons.

Et si cela ne suffit pas, nous devrons nous rassembler à nouveau et, ensemble, tendre nos mains vers le Donateur.

N'oubliez pas que je reviendrai vous voir.

Un instant, et ma nostalgie recueillera poussière et écume pour un autre corps.

Un petit instant, un moment de repos sur le vent et une autre femme me portera en son sein.

Adieu à vous et à ma jeunesse passée avec vous.

Ce n'était qu'hier que nous nous sommes rencontrés dans un rêve.

Vous avez chanté pour moi dans ma solitude, et de vos aspirations j'ai érigé une tour dans le ciel.

Mais à présent notre sommeil s'est esquivé, notre rêve s'est achevé et l'aube n'est plus.

Le soleil en nous a atteint son zénith, et notre demi-éveil est devenu plein jour. Force nous est de nous séparer.

Si au crépuscule de la mémoire nous devons nous revoir, à nouveau nous converserons et vous me chanterez un chant encore plus profond.

Et si nos mains doivent se toucher dans un autre rêve, nous érigerons alors une nouvelle tour dans le ciel. »

Ainsi parla-t-il ; puis il fit signe aux marins qui aussitôt levèrent l'ancre et larguèrent les amarres, mettant le cap sur le levant.

Et un cri jaillit du peuple, comme d'un seul cœur, et s'éleva dans la pénombre du couchant, puis se répandit par-dessus les flots, tel un sublime son de trompette.

Seule Al-Mitra garda le silence, contemplant le vaisseau qui s'évanouissait dans la brume.

Et lorsque tout le peuple se dispersa, elle avança seule vers la pointe de la jetée, se remémorant en son cœur ces paroles :

« Un petit instant, un moment de repos sur le vent, et une autre femme me portera en son sein. »

Biographie

L'aube de Gibran « commença à poindre à la rencontre de son propre jour » au pied du sommet le plus élevé de la Terre promise, au nord du mont Liban, le mont Blanc du Levant.

À Bcharré, *Bayt Ishtar*, « Demeure d'Astarté », Gibran est né.

Tous ces effluves du passé que dégagent ici les pierres viennent se mêler à l'encens des cèdres, dont chacun à lui seul dans la lumière profonde est une cathédrale. Le divin n'est jamais très loin ; il prend les formes les plus inattendues. N'appelle-t-on pas d'ailleurs ce bosquet *Arz al-Rabb*, « Cèdres du Seigneur » ?

À Bcharré, l'eau bouillonne dans des gouffres sans fond et fuse dans la fraîcheur des sources. Plus tard la poésie de Gibran coulera de ces sources haut perchées à l'eau filtrée par les racines de ces arbres, mamelles de la terre qui aspirent au ciel.

Ce village surplombe le *Wadi Qadicha*, qui, en syriaque, signifie « Vallée sainte ». Tout ce paysage recèle une école de mysticisme dont les maîtres sont ermites et dont l'enseignement est silence.

L'auteur du *Prophète* aurait-il pu naître ailleurs ? Il lui fallait une terre pétrie de spiritualités. Il y fallait le Phénix et Adonis, Pythagore et le Christ.

Alors que l'on célébrait cette nuit-là le réveillon de Noël, selon le calendrier chrétien oriental, le 6 janvier 1883, s'ajouta au vacarme de l'humanité un simple cri, celui de Gibran, qui, quarante ans plus tard, lors de la publication du *Prophète*, se transformera en un cri prêchant dans le désert affairé et mécanisé de New York.

Notre auteur est le premier enfant de Khalil Gibran (le père) et de Kamila Rahmé, que l'on pourrait traduire de l'arabe par « Parfaite

Miséricorde ». Fille d'un prêtre maronite, le Père Stéphane, Kamila avait déjà un enfant, Pierre, d'un premier mariage conclu avec un parent, Jean Rahmé, décédé au Brésil. Khalil et Kamila auront encore deux filles, Mariana et Sultana.

Le Père Stéphane est le fils d'Abd al-Kader Rahmé, lequel était d'origine musulmane[1] et probablement soufi.

Gibran décrivait son grand-père maternel comme un ermite versé dans les mystères théologiques et comme mélomane épris de musique liturgique et profane. C'est lui qui lui avait appris le chant du *nay*, la flûte mystique[2].

De son père, Kamila avait hérité une belle voix, et elle jouait du luth avec adresse. Son intuition maternelle découvrit les talents précoces de l'adolescent, écrivain et peintre en herbe. Elle tint alors à soustraire son fils au métier du père, collecteur de l'impôt sur le bétail, en l'initiant à la musique. Elle lui contait les exploits de Haroun al-Rachid et les merveilleuses histoires des *Mille et Une Nuits*. Gibran disait qu'il n'éprouvait guère le besoin de lui exprimer ses désirs parce qu'elle les devinait[3].

Dès son enfance, Gibran se montrait assez différent de ses camarades. On le trouvait souvent seul dans la forêt, occupé à ses rêves qu'alimentait une vive imagination. Par ailleurs, une tendance artistique se manifesta chez lui. Il passait son temps à dessiner avec du charbon sur les murs du village ; il s'amusait à planter des bouts de papier et des crayons avec l'espoir de les voir un jour prendre racine et bourgeonner[4].

Le bonheur ne dura guère. À l'âge de huit ans, il vit son père arrêté par des soldats turcs dans la cour de la maison. Khalil fut faussement accusé d'avoir subtilisé le produit de l'impôt collecté pour la Sublime Porte. Tous les biens de la famille furent alors confisqués. Trois ans plus tard, il fut enfin reconnu innocent.

Espoir de sortir de la misère et du déshonneur, malaise général ressenti par le joug ottoman et perspective de retrouver des parents déjà installés aux États-Unis : tant de stimulants pour lever l'ancre vers la Terre promise des temps modernes.

---

1. Jean & Kahlil Gibran, *Kahlil Gibran : His Life and World*, Interlink Books, New York, 1991, p. 11.
2. Khalil Gibran, *L'Œil du Prophète : anthologie*, Albin Michel, 1991, pp. 167-168.
3. Barbara Young, *This Man from Lebanon*, Knopf, New York, 1945, p. 145.
4. *This Man from Lebanon, op. cit.*, pp. 6-7.

À douze ans, Gibran émigra avec sa famille ébranchée du père, à Boston, la ville d'art de la Nouvelle-Angleterre. Ils habitaient à Oliver Place parmi les émigrés chinois et levantins.

Kamila devait procurer du pain à ses enfants. Grâce à ses travaux d'aiguille, elle put ouvrir un petit magasin d'articles orientaux, tenu par Pierre, et inscrire Gibran à l'école du quartier.

Le vrai nom de Gibran est en fait Gibran Khalil Gibran. Selon la tradition levantine, le prénom est toujours suivi de celui du père, et prénom et nom peuvent être identiques. En l'occurrence, Khalil est le prénom de son père et quant à son propre prénom, il est le même que son patronyme : Gibran. Arrivé aux États-Unis, la directrice de l'école trouva le tout trop long et lourd, et n'en garda que le prénom du père, qui est devenu son propre prénom. De surcroît, elle se trompa sur l'orthographe du prénom, en l'écrivant « Kahlil » au lieu de « Khalil ». Depuis, l'auteur signa toutes ses œuvres anglaises : Kahlil Gibran.

À l'école, Gibran se distingua très tôt de ses camarades de classe, et son talent artistique se révéla à la directrice. Grâce à une lettre de recommandation envoyée par celle-ci à Fred Holland Day, grand photographe de l'époque, Gibran commença à poser pour lui. Une des photos représentait le petit Gibran en « jeune cheikh ». Day devint l'ami de la famille, dont il patronnera l'existence et exposera plusieurs photos.

Pour échapper aux misères et au cadre humiliant de sa vie quotidienne, Gibran trouvait refuge dans le cercle riche et cultivé de Day. Ainsi il prit goût à fréquenter les bibliothèques et les musées pour assouvir ses yeux avides de savoir et enrichir ses mains d'agilité et de créativité. Il fit de tels progrès en dessin que Day l'incita à vendre ses esquisses pour illustrer des livres.

Ne connaissant du Liban que son village et de sa langue que l'alphabet, à l'âge de quinze ans, il retourna à Beyrouth pour étudier la langue du Coran au Collège de la Sagesse, la perle des écoles chrétiennes orientales.

Après quatre ans d'études, avec son camarade de classe, Joseph al-Houayek, Gibran rendit une dernière visite à la forêt des Cèdres. La brume basse et épaisse engloutissait tout en elle, et de ces hautes altitudes ensoleillées, Gibran regardait son village natal et méditait en disant : « À Bcharré, les hommes ne voient que cette brume, mon ami Joseph. Mais nous, nous voyons la clarté, le soleil et l'au-delà illuminé. Nous sommes au sommet, aux Cèdres. Force nous est de réformer le monde[1] ! »

Gibran retourna à Boston, en 1902, tout joyeux de son bagage culturel oriental. Sa sœur, Sultana, venait de mourir, rongée par la tuberculose ; ce fut l'annonce de l'étiolement de la famille. Un an plus tard, atteint de la même maladie, Pierre rendit l'âme. Peu après, Gibran perdit sa mère pour laquelle il avait une adoration quasi divine. Seul, avec Mariana, il dut lutter.

Après deux ans de travail acharné, le temps d'éteindre toutes les dettes du magasin de son demi-frère, il reprit sa palette. En 1904, lors d'une exposition de ses toiles, organisée par Day, Gibran fit la rencontre d'une directrice d'école, Mary Haskell. Ce fut le commencement d'une nouvelle étape dans la vie du jeune artiste. Mary devint sa mécène puis, avec le temps, son ange gardien, inséparable de sa destinée.

Quelques mois plus tard, Gibran fit la connaissance de l'éditeur d'*Al-Mouhajir*, « *L'Émigré* », un journal arabe new-yorkais. Il commença alors à publier une sérié d'articles qui seront réunis, en 1914, dans un livre intitulé *Larme et Sourire*.

En 1905, Gibran publia son premier ouvrage en langue arabe, *La Musique*, suivi un an plus tard par *Les Nymphes des Prés*. Le style innovateur de ses poèmes en prose lui valut d'attirer l'attention du monde arabe. Cette période fut vécue sous la protection de Mary qui lui assurait la chaleur humaine dont il avait besoin après la perte de sa mère, lui permettant ainsi de créer comme jamais auparavant.

Trois ans plus tard, à l'âge de vingt-cinq ans, il publia *Les Ailes brisées*, son premier et unique roman, précédé d'un autre livre, *Les Esprits rebelles*, où il maudit la sclérose de la société arabe, son machisme borné et son intolérance religieuse. Cela lui valut un autodafé organisé par les Ottomans sur la place publique de Beyrouth. Qualifié de « dangereux révolutionnaire et vénéneux pour la jeunesse[2] », il faillit être excommunié par l'Église maronite.

Son verbe en arabe était pris pour folie alors que ses écrits en anglais se révéleront une prophétie ; nul n'est prophète en son pays.

La même année, en 1908, Mary lui proposa de financer ses études de peinture en France. Gibran partit alors pour le « cœur

---

1. Revue *Al-Hikma*, Beyrouth, V, n° 8, pp. 29-30.
2. *This Man from Lebanon, op. cit.*, pp. 18-19.

du monde », comme il se plaisait à qualifier Paris[1]. Il y retrouva son ancien ami du Collège de la Sagesse, Joseph al-Houayek, neveu du Patriarche maronite. Ensemble ils travaillaient et ensemble ils jouissaient de leur jeunesse.

Gibran suivit des cours à l'Académie Julien ainsi qu'aux Beaux-Arts. Pendant cette période, il fit le portrait de nombreuses personnalités qui avaient bien voulu poser pour lui dont Auguste Rodin, Henri Rochefort et Claude Debussy, ainsi que Maurice Maeterlinck et Edmond Rostand.

La première grande reconnaissance de Gibran en tant qu'artiste peintre lui fut accordée à Paris, en août 1910, lorsque l'Union internationale des Beaux-Arts et des Lettres l'honora par une invitation officielle à envoyer six tableaux au Salon d'octobre qui eut lieu au Grand Palais. Rodin, Degas et Renoir s'y trouvèrent réunis.

Dans l'introduction de son livre écrit du vivant de Gibran, *Twenty Drawings of Kahlil Gibran*, Alice Raphaël rapporta les propos du grand maître Rodin : « Je ne connais nul autre que Gibran dont la peinture et la poésie sont aussi liées et font de lui un nouveau William Blake, le Blake du XXe siècle[2]. »

Certains tableaux de Gibran sont aujourd'hui exposés en permanence au Metropolitan Museum de New York, et d'autres au musée Gibran, à Bcharré ; toutefois les murs de ce musée sont lézardés et les couleurs de ses toiles rongées par l'humidité. Plût au ciel que le gouvernement libanais, qui s'affaire à présent à panser ses plaies, n'oublie pas de se dévouer à étancher les larmes du temps sur le trésor pictural de Gibran !

Cependant, durant ce séjour parisien, l'écrivain sembla l'emporter sur l'artiste ; c'est essentiellement à cette période qu'il doit l'aspect humaniste de sa pensée. L'apport libanais de l'enfance et la culture américaine de l'adolescent qui recherchait sa forme s'allièrent à une nouvelle influence latine, humaniste, qui complétera la toile de cet esprit ouvert. Il en dira plus tard : « À Paris la brume suspendue entre moi et Moi se réduisit à néant[3]. »

L'ombre de cette ville artistique continuera à le poursuivre et la nostalgie à le saisir longtemps après son retour aux États-Unis. De

---

1. Il résida au 14 de la rue du Maine où se trouve une plaque en son hommage.
2. Alice Raphaël, *Twenty Drawings of Kahlil Gibran*, Knopf, New York, 1919.
3. *This Man from Lebanon, op. cit.*, p. 68.

Boston, il écrivit à son ami Joseph : « Heureux ceux qui possèdent un gîte à Paris. Heureux ceux qui longent les rives de la Seine, se penchant sur les vieux bouquins et dessins. Dans cette ville [Boston] pleine d'amis et de connaissances, je me sens exilé au bout du monde, où la vie est froide comme la neige, ténébreuse comme la cendre, silencieuse comme un sphinx[1]. »

Et Gibran de poursuivre dans une lettre adressée à un autre ami libanais habitant Paris, Jamil al-Maalouf : « Paris ! Paris ! Théâtre d'arts et de pensées, source d'imagination et de rêves. À Paris, je naquis une deuxième fois et en elle j'aimerais passer le restant de ma vie ; mais ma tombe sera au Liban. Un jour, je reviendrai à Paris et nourrirai mon cœur affamé et désaltérerai mon âme assoiffée. J'y reviendrai dévorer son pain divin et boire son vin magique[2]. »

À Boston, retrouvant son ange gardien, Gibran lui avoua : « J'espère que le jour viendra où je pourrai dire : Je suis devenu un artiste grâce à Mary Haskell[3]. » Et il ne tarda pas à lui faire une proposition de mariage, mais la différence d'âge empêcha celle-ci d'y consentir.

Un an plus tard, en 1911, Gibran décida de quitter Boston pour New York. Il s'installa à Greenwich Village, le quartier des artistes, dans un appartement modeste, que lui et ses amis surnommaient « l'Ermitage » ; il y demeurera jusqu'à la fin de ses jours.

Une autre figure féminine importante dans la vie de Gibran fut l'écrivain libanais May Ziadé, la George Sand du monde arabe, qui vivait en Égypte. Dès 1912, il entretint avec elle une riche correspondance, dont le contenu était orienté vers la littérature et l'appel à la révolte arabe contre « le Grand Turc ». Cependant, au fil des années, cette relation se mua en un amour platonique.

Après avoir pris une part active à un comité de soutien aux populations syro-libanaises, minées par la famine durant la Première Guerre mondiale, il fonda une association politico-culturelle baptisée « Les Anneaux d'Or ». Son but était de rassembler les forces éparses des Levantins aux États-Unis en vue d'émanciper leurs pays asservis par le joug ottoman. Les décisions étaient prises dans son « Ermitage », et les actions demeuraient secrètes. Inspirés par

1. Joseph al-Houayek, *Dhikrayâtî ma'a Gibran*, Naufal, Beyrouth, 1979, p. 211.
2. Riyâd Hanîn, *Rasd'il Gibran at-tâ'iha*, Naufal, Beyrouth, 1983, p. 46.
3. Virginia Hilu, *Beloved Prophet*, Quartet Books, Londres, 1973, p. 20.

la franc-maçonnerie, ses membres furent au nombre de douze, nommés *al-Hourrâs*, « les Gardiens[1] ».

Dans le même temps, il commença à écrire dans la langue de Shakespeare. Entre 1918 et 1920, il publia *Le Fou* et *Le Précurseur* et, dans la langue des *Mille et Une Nuits, Les Processions* et *Les Tempêtes*. Son anglais n'était pas encore parfait, mais Mary s'attelait à y apporter quelques retouches d'ordre stylistique, habitude qu'elle gardera jusqu'au dernier ouvrage, *L'Errant*.

Tous les livres d'expression anglaise de Gibran seront lancés par Alfred Knopf, un éditeur new-yorkais dynamique, dont l'ambition était de découvrir des nouveaux talents. Gibran illustrait lui-même ses livres avec des dessins délicats et mystiques, d'interprétation parfois difficile mais d'inspiration riche et évocatrice.

Parallèlement à ses publications, Gibran projeta de réaliser une collection de portraits des grandes personnalités de l'époque. Son studio vit alors augmenter avec sa renommée les défilés les plus variés : artistes, poètes et écrivains, tels Sarah Bernhardt, Yeats, Masefield et Maeterlinck, ainsi que des psychologues et des philosophes, tels Jung et Bergson, et même des fondateurs de religion, comme Abdul-Baha.

Par ailleurs, en compagnie d'une pléiade d'écrivains syro-libanais, Gibran fonda une autre association à caractère moins occulte et plus littéraire : *Al-Râbita al-qalamiya*. L'impact de ce « Cénacle de la Plume » fut si prépondérant qu'il contribua à la renaissance des lettres arabes en les délivrant de leur léthargie.

En 1923, Knopf publia *Le Prophète*. Le nom de Gibran sera dès lors et à jamais intimement lié au titre de ce chef-d'œuvre. Le succès fut immédiat et l'auteur fut continuellement invité à en réciter des passages devant des cercles littéraires à travers tous les États-Unis. Gibran le révolutionnaire devint alors le sage magnanime.

Krishnamurti et Annie Besant le convièrent à faire partie d'un groupe théosophique célèbre : « The New Orient Society ». Il accepta et s'y intégra facilement ; il reçut alors le titre de « Citoyen du Monde ». Ce fut à travers ce groupe qu'il se lia d'amitié avec le Mahatma Gandhi[2].

---

1. Antoine Gattas Karam, *La Vie et l'œuvre littéraire de Gibran*, al-Nahar, Beyrouth, 1981, p. 73.
2. Jean & Kahlil Gibran : *His Life and World, op. cit.*, pp. 382-383.

Après la parution du *Prophète*, Gibran connut un certain bien-être moral, mais sa santé ne cessait de décliner. Ce fut à cette époque que Barbara Young, une critique littéraire, entra dans sa vie et devint la promotrice de son œuvre. Plus tard elle sera la disciple zélée qui dévouera sa vie à chanter son maître. De son côté, Mary se résolut à épouser un riche vieil homme, veuf de sa cousine, sans jamais rompre sa relation épistolaire avec Gibran. Quant à May, n'ayant jamais pu réussir à franchir les mers pour le rejoindre, elle demeura son égérie au pays du Nil.

En 1926, Gibran rassembla ses plus belles maximes en un petit volume, *Le Sable et l'Écume*. Par la suite parut *Jésus Fils de l'Homme*[1], « l'Évangile selon Gibran », après deux années d'élaboration dans la souffrance physique.

Sa santé était la « croix » qu'il dut porter toute sa vie. Ce fut elle qui le contraignit à différer durant des années la publication du *Prophète*. Sans épouse ni pays, il dessinait le jour et écrivait la nuit, laissant son amour se répandre dans le travail, lequel ne ménageait guère sa santé.

Sentant ses jours comptés, il publia *Les Dieux de la Terre* et acheva le manuscrit de *L'Errant*. Puis il esquissa un nouvel ouvrage, *Le Jardin du Prophète*. Il envisageait même de couronner sa trilogie par un autre livre, intitulé *La Mort du Prophète*. Mais la mort fut plus leste que le Prophète.

À son quarante-huitième printemps, le 10 avril 1931 « l'homme du Liban » exhala son dernier soupir. Ce fut un vendredi ; les chrétiens orientaux célébraient ce jour-là le Vendredi saint.

Jean-Pierre DAHDAH

---

1. Khalil Gibran, *Jésus Fils de l'Homme*, Albin Michel, 1990.

NOTES PERSONNELLES

NOTES PERSONNELLES

Achevé d'imprimer en Italie par Grafica Veneta
en février 2017
Dépôt légal mars 2017
EAN 9782290143568
OTP L21ELLN000796N001

—

Ce texte est composé en Lemonde journal et en Akkurat

—

Conception des principes de mise en page :
mecano, Laurent Batard

—

Composition : PCA

—

ÉDITIONS J'AI LU
87, quai Panhard-et-Levassor, 75013 Paris
Diffusion France et étranger : Flammarion

Librio

185